CHORD-MELODY PHRASES for Guitar

by Ron Eschete

コード／メロディ・フレーズ・フォー・ギター

ソロの可能性を広げるコード／メロディ・テクニック

JN121709

Printed in Japan

ATN, inc.

Ron Eschete のすばらしいジャズ・フレーズであなたのコード／メロディ・テクニックを広げよう！

39のデモ・トラックが収録された付属CD

コード・サブスティテューション（代理コード）

クロマティック・ムーブメント

コントラリー・モーション（反行）

ペダル・トーン

インナー・ヴォイス・ムーヴメント（内声の動き）

リハーモナイゼイション・テクニック

一般的な記譜とタブ譜

Contents

もくじ

Introduction

はじめに

最初にギターを学び始めて以来、私はコードとコード・アイディアに魅了されてきました。実際、ギターはリズム的にも、ハーモニー的にも、そしてメロディ的にも、オーケストラ全体になることができます。ギターだけで、バラード、ブルース、アップテンポ、スウィング、ラテンなどの音楽的なムードを創ることができるのです。本書ではこれらのムード、さまざまなカラーや、テキスチュア（フィール）を創るリック（フレーズ）のいくつかを紹介します。これらのフレーズのほとんどは私が毎日使っているものであり、ギター、ピアノ、ホーン、その他のオーケストレーションの巨匠たちを聴き、そしてたくさんの刺激的なプレイヤーたちと共演することで身につけたものです。あなたが本書のフレーズを学ぶことによってリハーナイニゼイションをよりよく理解し、あなた自身のフレーズを創るための手助けになること願っています。

本書の使い方

本書のコード・フレーズにはたくさんのコード・テクニックが使われています。それらの中には、コードおよびト
ライトーン・サブスティテューション、クロマティック・ムーヴメント、コントラリー・モーション（反進行、反
行）、ペダル・トーン、インナーヴォイス・ムーヴメント、そしてハーモニーの全体的なリハーモナイゼイション
といったテクニックが含まれています。本書の全体をとおして、１つのコード上に２つのコード・シンボルが記さ
れています。たとえば、大きいシンボルは基本的なハーモニーを、小さいシンボルはエクステンションを加えた、
または**リハーモナイズされた**ハーモニーを表しています。リハーモナイゼイション・テクニックをよりよく理解す
るために、リハーモナイズされた各フレーズを本来のベーシック・コード・チェンジと比較してみることをお勧め
します。これらのフレーズのほとんどはソロ・ギターのために書かれていますが、その他のシチュエーションでも
使うことができます。アンサンブルの他の楽器を注意深く聴き、自分の耳で判断します。また、いくつかのフレ
ーズは、必ずしも本来の基本的なコード・チェンジに沿ってプレイされるものではありません。

Chord-Melody Phrases

コード／メロディ・フレーズ

① フレーズ 1

このii-V-Iを、コードをサスティーンさせたまますべてのメロディ・ノートをピッキングして、またはハンマリング・オンとプリング・オフを使って試してみましょう。

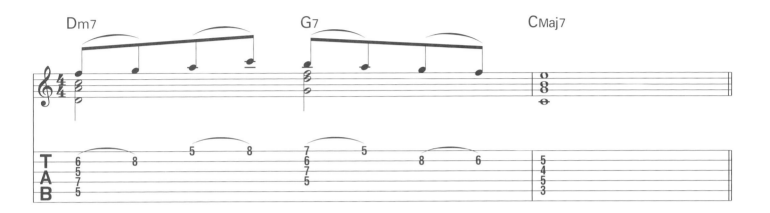

CDナレーション：ピックを使ってこれをプレイしています。まず最初に、スムースなサウンドが得られるハンマリング・オンとプリング・オフを使ってプレイし、2回めはすべてのメロディ・ノートをピッキングしています。つまりフレーズ1を2回プレイしています。

② フレーズ 2

このシンプルなii-V-Iフレーズは、コードを音価いっぱいにサスティーンさせながら、トップのメロディ・ノートをプレイするように心がけましょう。

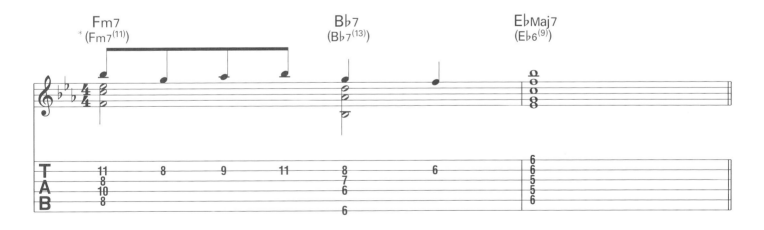

CDナレーション：私は3つの異なる方法でこれをプレイしています。同じフレーズなので違いを聴き取りやすいはずです。最初はピックで、2回めは指で、3回めはピックと指でプレイしています。これ以降のフレーズはそれぞれ1回ずつしかプレイしていないので、違いを確認するために、くり返し聴いてみましょう。

＊◆ はCDトラックを表しています。

＊（ ）内は上記のコード表記に対し、実際にプレイしているコードです。

❸ フレーズ３

このフレーズは、キーFのI-ii-V-Iです。ここではたくさんの音が使われています。FとA音を押さえたまま、トップの８分音符のメロディをプレイします。

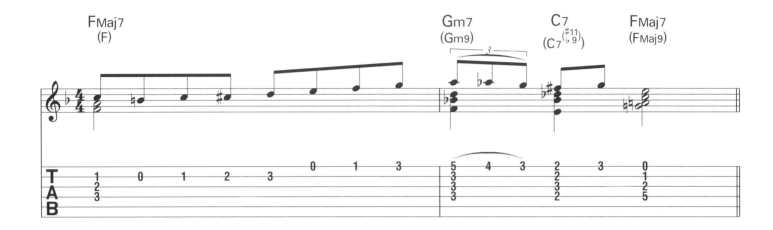

CD ナレーション： これはピックでプレイし、コードのボトム・ノートをできるだけ長くサスティーンさせながら、８分音符でトップ・ノートを上行させます。Gm のスラーに注意し、できるだけスムースにプレイしましょう。ピックで１回だけプレイしています。

❹ フレーズ４

このフレーズは、キーCのiii-VI-ii-V-Iです。すべてに♭5タイプのコードが使われています（Em7⁽♭5⁾、A7⁽♭5⁾、Dm7⁽♭5⁾、G7⁽♭5⁾）。また、E弦の開放を含んだCMaj7⁽9⁾ヴォイシングにも注目しましょう。

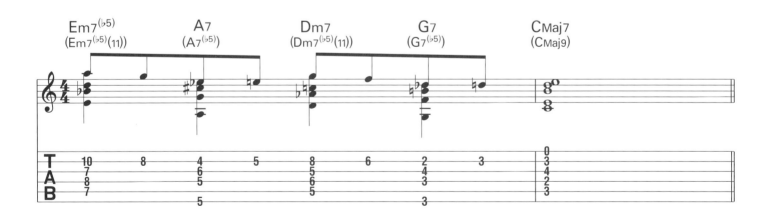

CD ナレーション： ピックでプレイしています。

5 フレーズ 5

このコード・フレーズでは、すべてのコードの下にペダル・トーン（共通のベース・ノート）が使われています。キーE♭の基本的な ii - V - I - VI - ii - V - I プログレッションですが、全体をとおしてB♭ペダルがV コードのフィーリングを保っています。

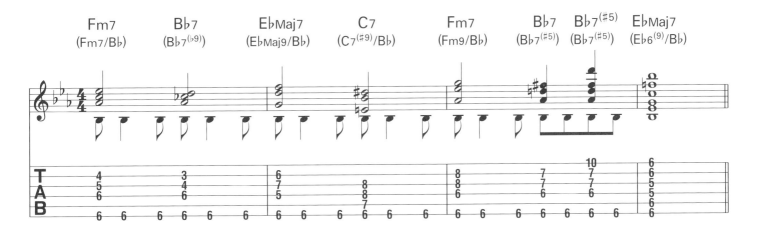

CDナレーション：このフレーズではペダル・トーンを使用しています。私は通常バラードを演奏するときにこのタイプのフレーズを使っています。

6 フレーズ 6

このExampleはリハーモナイズされたI - vi - ii - Vターンアラウンドを示しています。2、3、4つめのコード（すべてトライトーン・サブスティテューション）はメロディには合っているが、ベーシック・チェンジに対してプレイすると良いサウンドはしないかもしれません。

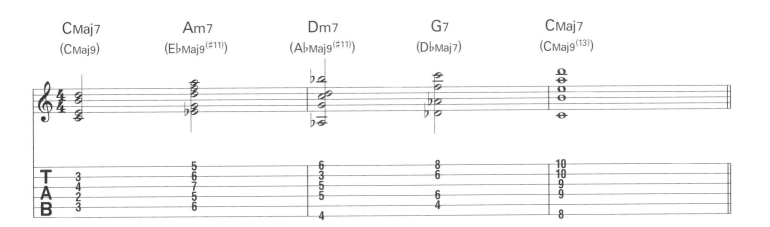

CDナレーション：次にフレーズ6をプレイしてみましょう。

IO

⑦ フレーズ 7

このExampleの２つめのコードは、キーFのオルタードⅢ（セカンダリー・ドミナント）コードです。これはDm7コードを強く導きます。A♭7(13)とD♭Maj7(♯11/9)はどちらも、それぞれDm7とGm7のトライトーン・サブスティテューションです

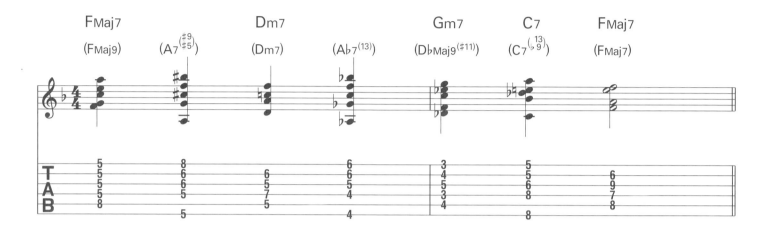

CDナレーション：それではフレーズ7です。２つめのコードでは、ベース・ノートを少しタイムに先行してプレイしています。

⑧ フレーズ 8

ここではコードの転回形が使われています。これは基本的にキーFのⅱ-Ⅴ-Ⅰターンアラウンドですが、Ⅴコード（C7の代わりにE7(♯9)）からⅠコードへのケーデンスが遅れて現れます。また、１小節めのクローズ・ヴォイシングが最後の２つのコードでどのように解放されているかに注目しましょう。ダイアトニック・サブスティテューションとして、１小節めのGm7(11)にDm7を、Gm7(9)にB♭Maj7を使っています。２小節めのE7(♯9)はC7の代理コードです。

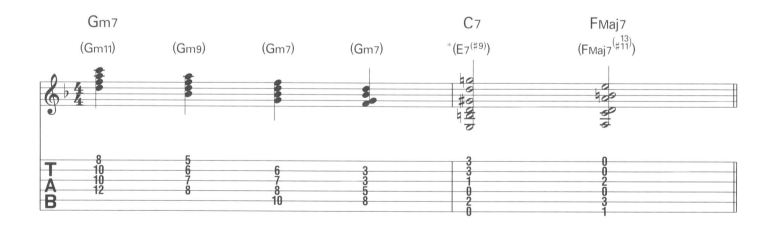

CDナレーション：私はピックでプレイしています。これらは単なるコードの転回形で、良いサウンドになります。

* FMaj7の代理コードであるAm7への解決を意図したE7を使用。

9 フレーズ9

このフレーズでは1小節めで開放弦を含んだヴォイシングがいくつか使われています。最後の2小節は単にAmに解決するii°（m7$^{(♭5)}$）-V-iです。

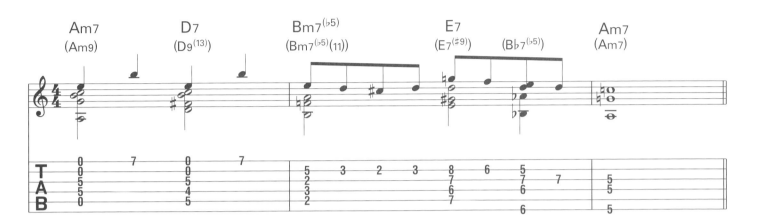

CDナレーション：マイナー・サウンドです。まずピックを使い、2回めに指を使っています。

10 フレーズ10

これはエンディングにうってつけのキーGのii-V-Iです。1小節めで3度音程のダブル・ストップを使ってコードのアウトラインを表していますが、さらにサウンドを厚くするためにA弦の開放を加えてもよいでしょう。

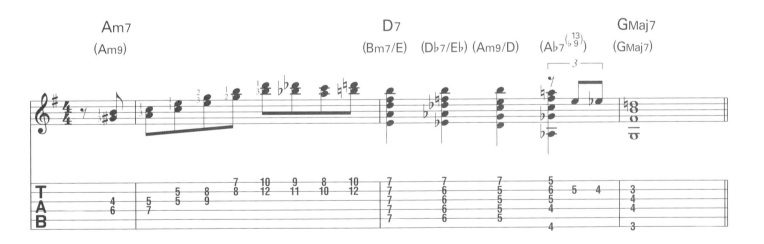

CDナレーション：指を使って1小節めの1拍めでA弦の開放をプレイします（楽譜には記されていない）。こんな感じで...。こうするとよりサウンドが豊かになります。フィンガースタイルでプレイすると、ベース・ノートとアッパー・ヴォイスをより分離させることができます。また、A♭7$^{(♭13)}_{(♭9)}$ではメロディ・ノートをサスティーンさせたまま、ラインがD音まで下行します。これは良いサウンドになります。

⑪ フレーズ 11

このii-V-I-VI のターンアラウンドではオープンとクローズのどちらのヴォイシングも使い、またD7とE7のドミナント7thコードではトライトーン・サブスティテューションを利用しています。3小節めのA9(13)はキーGのセカンダリー・ドミナント(II)コードです。

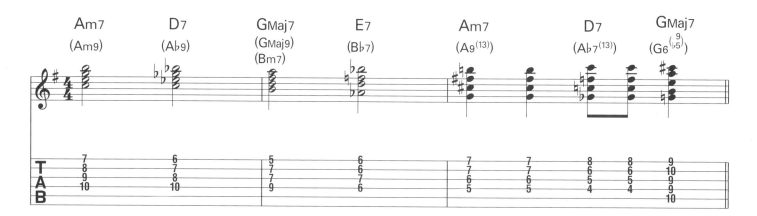

CDナレーション：これはスウィング・タイプで、ピックを使ってプレイしています。最後のコードを長く延ばしすぎたのでもう1回プレイします。エンディングには効果的でしょう。今度は短く切っています。

もう1つの方法として、ブラス・セクションのようにすべての音を短く切ってみます。これがそのサウンドです。多少リズムを変えることもできます。ではいくつかのアンティシペーションを使ってプレイしてみます。このように、スウィングバンドでこのフレーズをプレイする方法はたくさんあるでしょう。

⑫ フレーズ 12

Cm7(11)をストラムしてこのExampleの最初のコードにあるメロディをプレイし、それから弦を押さえたまま小指をF音にスライドします。これによって良いレガート効果が得られます。C♭9(13)コードはF7のトライトーン・サブスティテューションであり、A7(♭13♭9)はA♭7(13)(Dm7(♭5)のトライトーン・サブスティテューション)を導くパッシング・コードです。

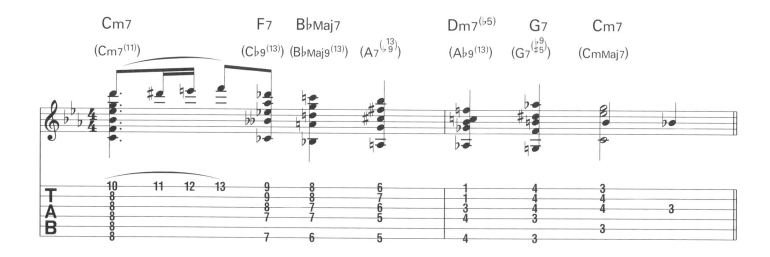

CDナレーション：フィンガースタイルでプレイしています。スラーを使ったバラード・スタイルです。

⓭ フレーズ 13

これはブルースまたはA7ヴァンプのためのリックです。クローズ・ヴォイシングのブロック・コードがサックス・セクションのようなサウンドになることに注目しましょう。

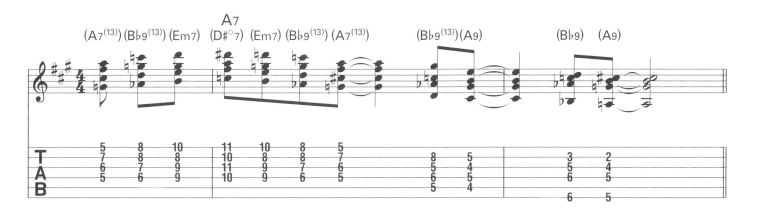

CDナレーション：ブルージーなフレーズです。私はこれらのタイプのフレーズではピックを持ってプレイしたいので、ここではピックと指の両方を使っています。

「ワン、トゥー、スリー」とカウントするので、「スリー」のウラから入ります。コードをスライドしてグレース・ノートを入れると効果的です。このようなサウンドになります。聴いてみましょう。これは曲にも使うことができます。このフレーズを使ってスロー・スウィングの曲をプレイしてみます。今のは12小節のブルースです。このフレーズを使ってインプロヴァイズしてみました。このようにディミニッシュや13thコードを半音上や下からスライドするとよい効果が得られます。これはまさにコード/メロディ・スタイルの中心的なものなので、いろいろと自分で試してみよう。

⓮ フレーズ 14

このフレーズは、iiiコードを経過するI-VI-iiです。Emコードは単なるパッシング・コードなので、このコード上のG♯音を気にする必要はありません。

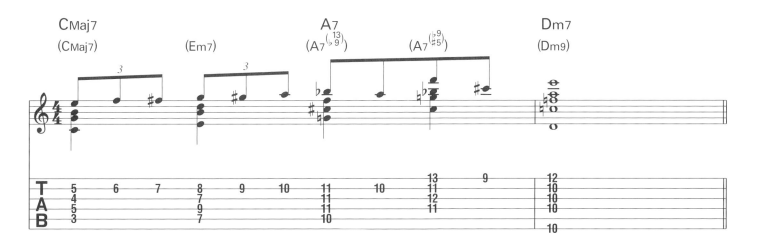

CDナレーション：これはピックでプレイします。できるかぎりスムースにプレイしましょう。スウィング・リズムです。

◆15 フレーズ15

これはキーDのii-V-Iフレーズです。B♭7はEコードのトライトーン・サブスティテューションとも考えられますが、単にV（A7）コードへの半音の動きと見ることもできます。DMaj7コード上では、メロディが♭7th（C音）を経由して6th（B音）まで下がります。

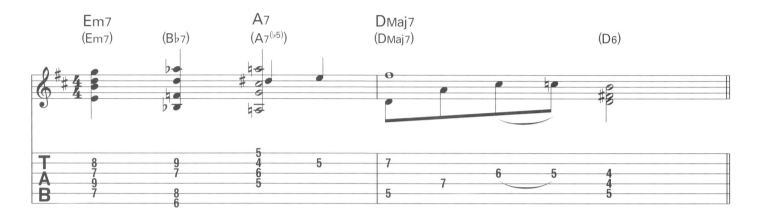

CDナレーション：フィンガースタイルでプレイします。ここで大切なのは、最後のDMaj7コードでF♯音を鳴らしたまま、その下で内声をD6に動かすことです。

◆16 フレーズ16

これはストレート・アヘッドなバップやスウィングのフレーズです。ピック・アップでディミニッシュ・パッシング・コードによってE7のサウンドをプレイして始まります。G6(9)コードをターゲットにしたD7上の半音の動きに注目しましょう。

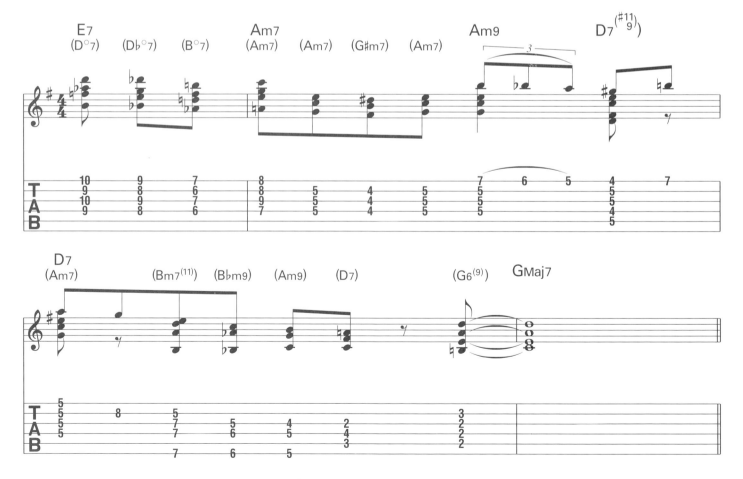

CDナレーション：スウィングです。ピックでプレイします。

17 フレーズ 17

これも ii - V - I（Gm - C7(9) - FMaj7(9)）です。F コードに解決する 1 小節めのピアノ的なラインに注目しましょう。

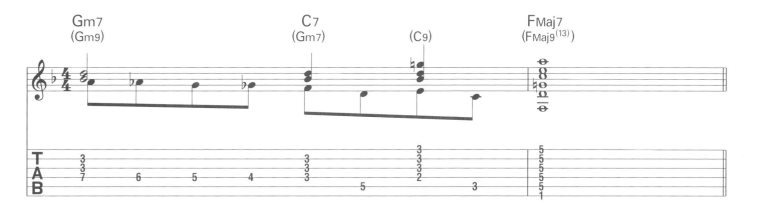

CD ナレーション：ピックでプレイします。キー F のスローな ii - V - I です。きっと気に入るでしょう。

18 フレーズ 18

これは F コードのイントロや、曲の最後のカデンツとして使うことができます。すべてのコードにスラーがついています。FMaj6(9)、EbMaj6(9)、FMaj7(9)、EbMaj7(9)、Dm7(11)、Cm7(11) は、すべて FMaj7 - EbMaj7 として機能します。

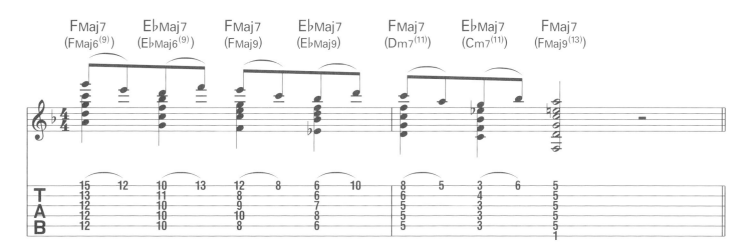

CD ナレーション：これはエンディングに使えます。ピックでプレイしています。

19 フレーズ19

このExampleは基本的にすべてCMaj7ですが、パッシング・コードを使ってCMaj7 - Dm7 - D#°7 - Em7（CMaj9として機能）としています。経過的な16分音符のほとんどにスラーがついているので、左手の指を使う（ハンマリング・オン、プリング・オフ）ことがとても大切です。

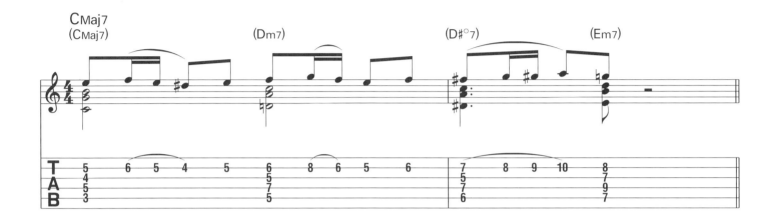

CDナレーション：ピックでプレイします。スラーをできるだけきれいにプレイしましょう。

20 フレーズ20

これはキーCメジャーのii - V - Iプログレッションです。C#°7とE°7コードは、DmのVであるA7(♭9)サウンドを示唆しています。このテクニックによってたくさんのハーモニーの動きが創られます。FMaj7は単にDm7のダイアトニック・サブスティテューションです。F#m7(♭5)はパッシング・コードとして機能し（D9としてアナライズできる）、Dm9/Gコードを導きます。

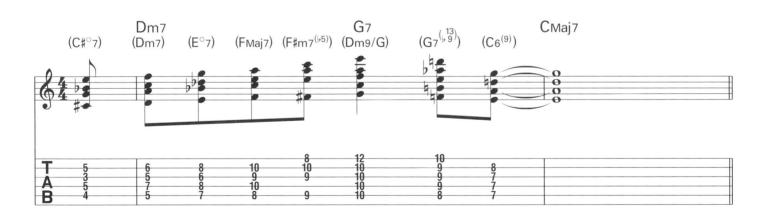

CDナレーション：私はこれをピックを使って、そしていくつかのスタイルでプレイしてみます。まずスウィングで、次にバラードで。ピックアップがあるので、「ワン、トゥー、スリー、フォー」のウラから入ります。

21 フレーズ 21

これはバラード・スタイルのⅠ-ⅵ-ⅱ-Ⅴターンアラウンドです。Dm7 に Ab9(13)、Gm7 に DbMaj7(9) をトライトーン・サブスティテューションとして利用しています。後半の 2 小節も同じプログレッションですが、Bb7(13) と D7(9) というパッシング・コードが加えられています。

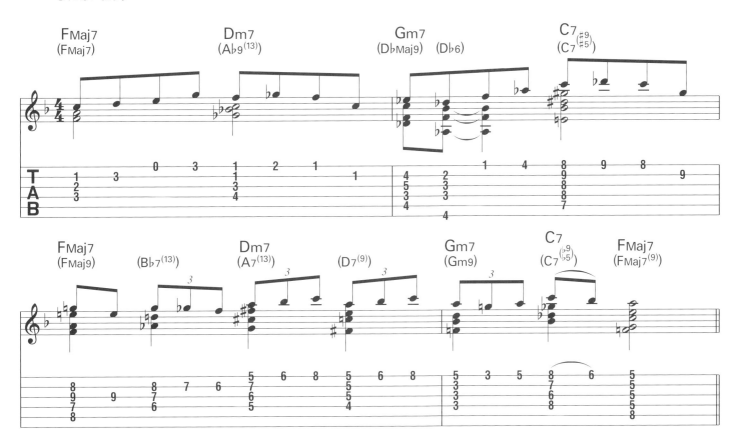

22 フレーズ 22

このフレーズの最初の 3 つのコード（Dm7 - Bb6(9) - Gm7）は、BbMaj9 のトーナリティを提示しています。この小節の最後の Fm7(11) コードがキーDマイナーの ii-V をスムースに導きます。フレーズの最後には iii コード（Dm9）にメジャー7th を加えて異なるカラーを出しています。これもまたバラード・スタイルで使えるリックです。

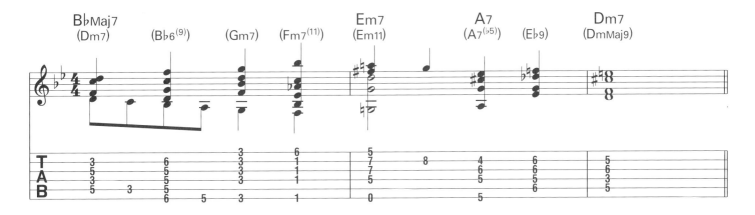

23 フレーズ 23

このフレーズはバラード、またはスウィングで使うことができます。キーE♭のⅠ-Ⅵ-ⅱ-Ⅴ-Ⅰプログレッションですが、通常の
Fm7 - B♭7の代わりにF♯m9 - B9をプレイし、半音上からスムースにB♭7へアプローチします。

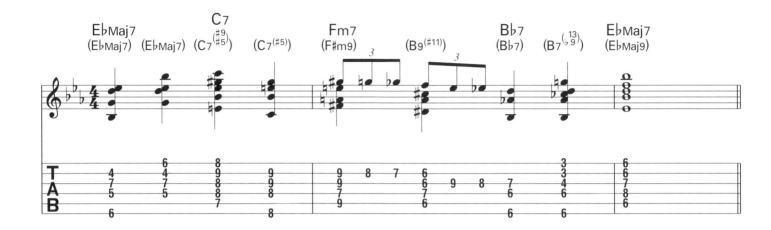

CDナレーション：ピックを使っています。

24 フレーズ 24

このExampleはキーA♭の曲のエンディングに使われるタグ（ⅱ-Ⅴ-ⅲ-Ⅵ-ⅱ-Ⅴ-Ⅰ）のようです。ここではボトムにメロディを使い、
ピアノ的な効果を出しています。

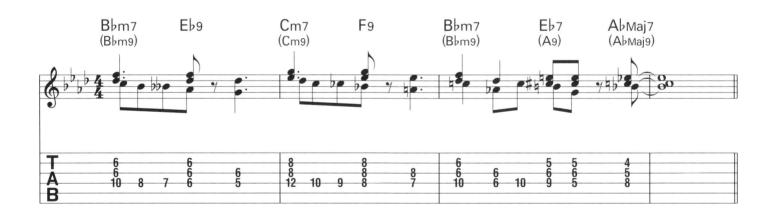

*CDナレーション：アップテンポのスウィングです。ピックでプレイします。楽譜を見てわかるとおり、メロディがボトムになっ
ています。きっと気に入るはずです。*

25 フレーズ 25

ii - V - I から IV コード (F9) に向かうことで、3 小節めの iii - VI - ii - V プログレッションをスムースに導きます。ヴォイシングのコントラリー・モーションとトライトーン・サブスティテューションである E♭7 と D♭Maj7 に注目しましょう。

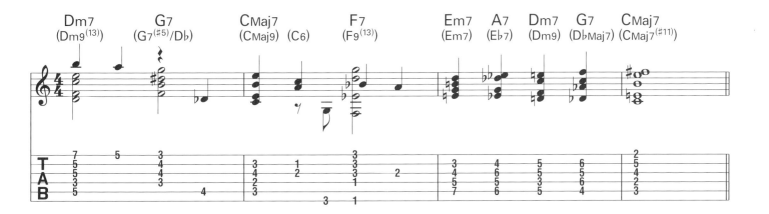

CD ナレーション：指でプレイしています。

26 フレーズ 26

この Example ではコードの転回形が使われています。1 小節めのベース音 (G - C - E) がメロディといっしょにどのように上行しているかに注目しましょう。2 小節めでは内声の動きがフィーチュアされています。その次の小節では V をメジャー 9th コードにしたトライトーン・サブスティテューションの ii - V が使われています (A♭m7 - D♭Maj9)。このフレーズはエンディングとして、また場合によってはイントロで使うことができるでしょう。

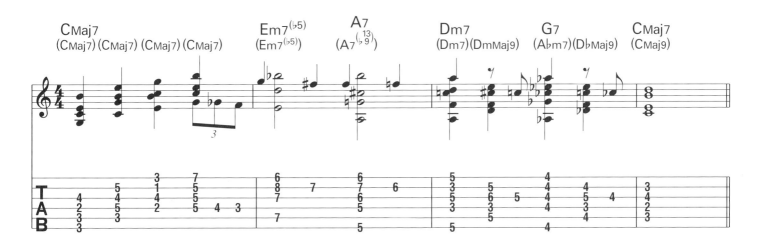

CD ナレーション：指でプレイします。

フレーズ 27

これはキーCのI-VI-ii-Vプログレッションを2回くり返しています。3小節めではCMaj7がBb7に下行し、A7にアプローチしています。次の小節ではメロディックにするために、Dm7susから半音上がってEb9に動き、それから半音ずつ下がってDb7(#9)（G7のトライトーン・サブスティテューション）に動いています。

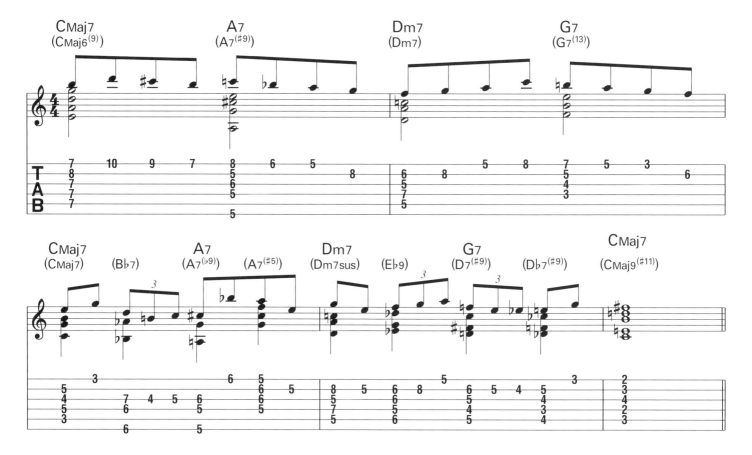

CDナレーション：ピックでプレイしています。

フレーズ 28

このExampleの各小節では全体をとおしてコントラリー・モーション（反行）が使われています。スムースに下行するベース・ライン（Bb-A-G-F-E-Eb-D-Db-C-Cb-Bb）に注目しましょう。

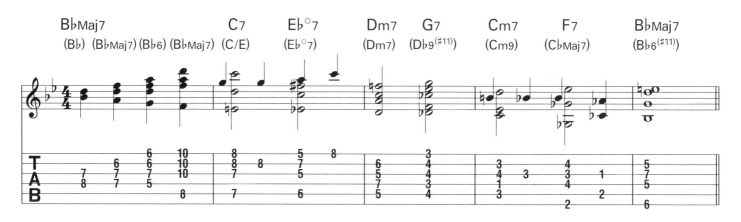

CDナレーション：指でプレイします。

フレーズ29

この iii-vi-ii-V-I プログレッションでは、いくつかのおもしろいヴォイシングが使われています。最初のコードではE弦の開放を、Em11コードをプレイする間も鳴らしておきます。次の2つのコード（Am11とDm11）をプレイするには少しコツがいります。まず人差し指でベース・ノート（ルート）を弾き、それから残りをプレイするために素早く2フレット分ポジションをアップします。ベース・ノートをサスティーンさせることができなくても、リスナーはフル・コードを感じることができるはずです。

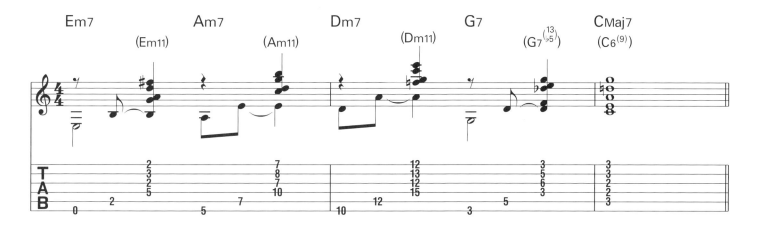

CDナレーション：指でプレイします。これはちょっとしたイントロ、またはエンディングとして使えるでしょう。

フレーズ30

このExampleはGm7またはC7コードのヴァンプで使えます。これはジャズ、ポップ、ファンクなど、さまざまな音楽スタイルに合うでしょう。コードのクロマティックな動きに注目しましょう。いくつかのヴォイシングは単に半音下にずらすだけです。

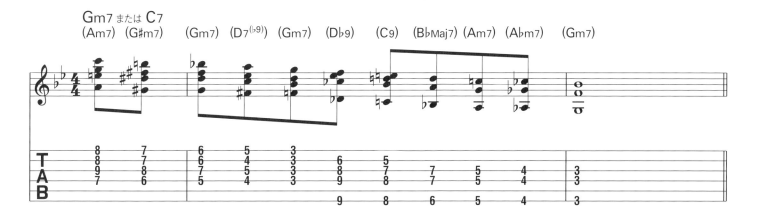

CDナレーション：ピックと指でプレイします。このフレーズはスウィングやバラードなど、さまざまなシチュエーションで使えるでしょう。スウィングではこのようになります。

31 フレーズ 31

このExampleはブルース・プログレッションの6、7小節めに使うのにもってこいのフレーズです。ベーシックなチェンジはE♭7とB♭7を1小節ずつ想定しています。E♭7(♭9)とそのアプローチをイメージした一連のディミニッシュ・コードが使われています。

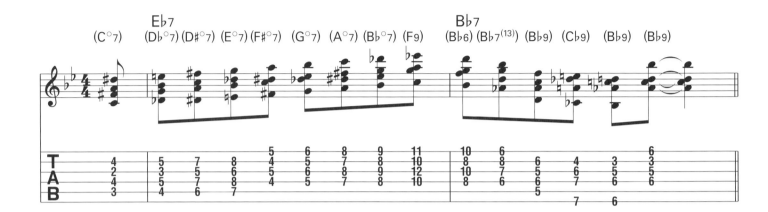

CDナレーション：これもスウィングで、ブルージーです。ピックと指を使います。よりブルージーなフィーリングを与えるようにフレージングしてみました。それでは次にブルースの構成に当てはめてみます。エンディングに向かうために少し変えましたが、頭の中では元のリックをイメージしています。

32 フレーズ 32

このフレーズはエンディングとして使うことができます。Iコードの後、セカンダリー・ドミナントのIIIコードをプレイしてviコードに解決しています。続く5つのコードは、C音からG音までクロマティックなベース・ムーヴメントが得られるようにヴォイシングしています。4小節めの後半で、C7の代わりにトライトーン・サブスティテューションのii-V（D♭m9-G♭7）が使われていることに注目しましょう。

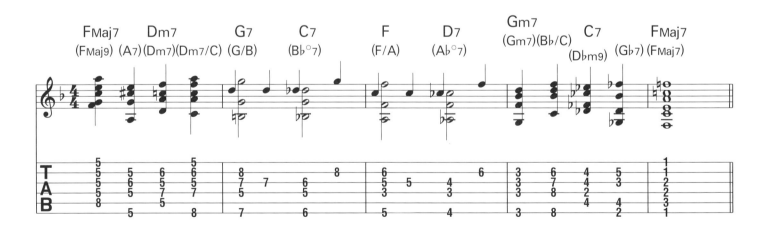

CDナレーション：ピックでプレイします。このリックは（アルペジオを交えて）流れるようにすることもできるでしょう。

33 フレーズ 33

このExampleではいくつかのコントラリー・モーションが使われています。ベーシックなチェンジはGMaj7 - Gm7ですが、最初の2小節ではGMaj7に対し、たくさんのクロマティックなムーヴメントが使われています。

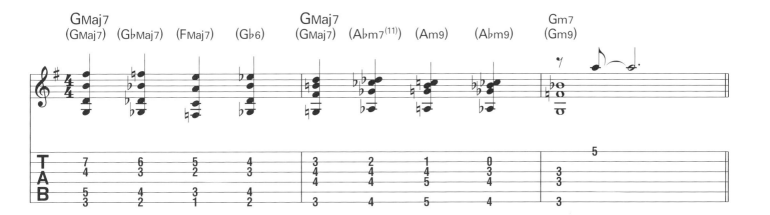

CDナレーション：指でプレイします。

34 フレーズ 34

このアイディアはI-VI-ii-V-Iターンアラウンドで、イントロ、エンディングどちらにも使うことができます。ここで少し変わっているのは、IコードというよりむしろVコード（F7）的なサウンドで始まる点です。また、最後のB♭Maj7を除き、すべてのコードでプレイされるFペダル・トーンが、コードにVコードのフィーリングを与えていることにも注目しましょう。

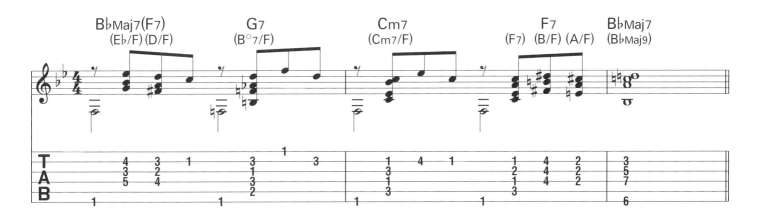

CDナレーション：指でプレイします。ここでも再びペダル・トーンが使われています。

35 フレーズ 35

このコード・フレーズはEbのI-VI-ii-V-Iです。最初の小節ではパッシング・コードを加えたEb7–Fm7–F#°7–Gm7(b5)（またはルートのないEb9）というプログレッションが使われています。2小節めのC7上ではDb9、C7(13)、F#m11が使われています。そしてこれが3小節めのFm11をスムースに導いています。最後のコードとしてEbm11が使われていますが、これはエンディングに最適です。

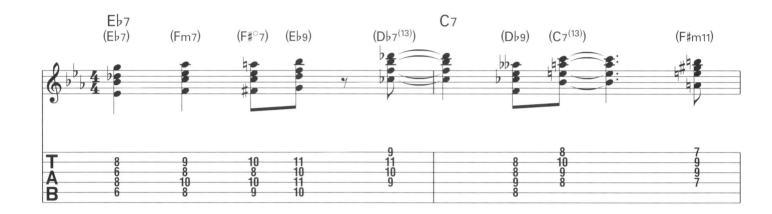

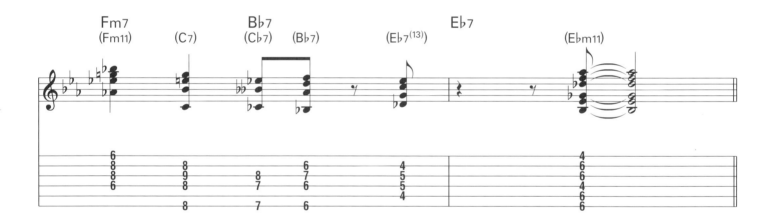

CDナレーション：指とピックでプレイしますが、最後のEbm11コードはピックで強くプレイします。

36 フレーズ 36

この短いエチュードは基本的にキー Eb（または C マイナー）です。コードをサスティーンさせたままシングル・ノートをプレイすることがポイントです。

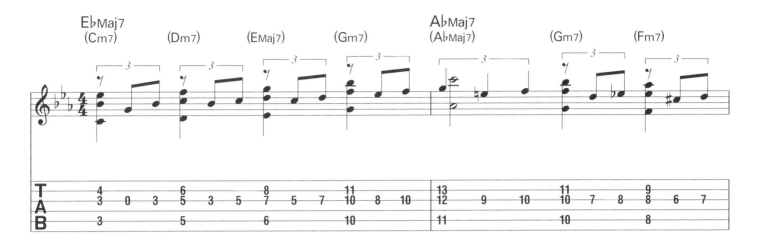

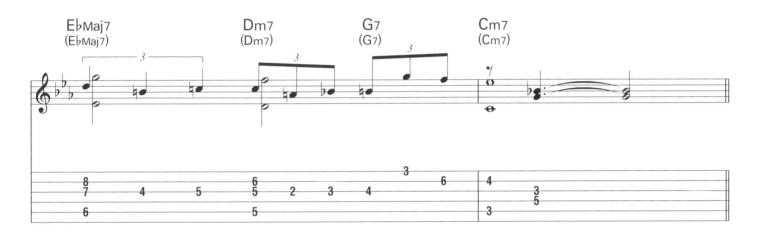

CDナレーション：指でプレイします。

37 フレーズ37

このコード・フレーズはキーCです。iiコード（Dm7）から始まりますが、Vに動く（ほとんどの場合はそうですが）代わりにキーAマイナーのii°-V-iで下行しています。これによって創られる下行するベース・ラインに注目しましょう。次のフレーズ（2小節め）は本質的には1小節めと同じですが、完全4度下に移調されています。iii-vi-II-Vプログレッションで終わりますが、IIコード（D7）上でトライトーン・サブスティテューション（A♭9）が使われています。

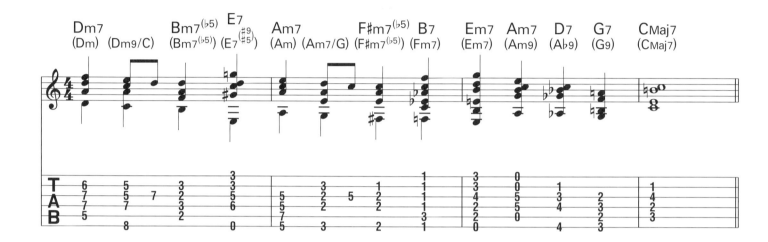

*CD*ナレーション：ピックでプレイします。スムースなストラムのために、1小節めの4つめのコードではG#を押さえる小指の先で5弦をミュートしましょう。

38 フレーズ 38

このExampleはフィンガースタイルでプレイしましょう。簡単なメロディにウォーキング・ベース・ラインがつけられています。最初の4小節ではⅠ-Ⅵ-ⅱ-Ⅴプログレッションがくり返されます。これらの小節で使われているパッシング・コード(特に3小節めのDbm7(11) - Gb7(13))に注目しましょう。最後の2小節はキーBbの減5度(Em7(b5))から始まり、エンディングまでクロマティックに下がります。

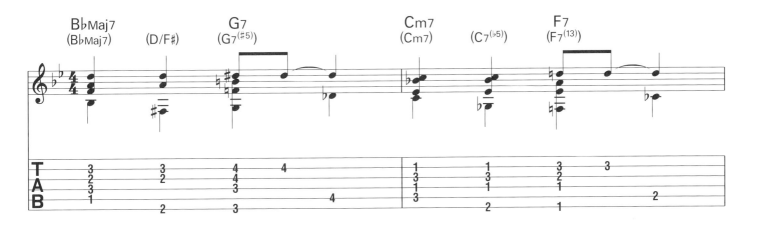

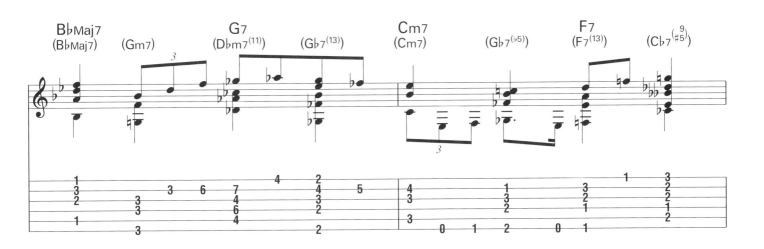

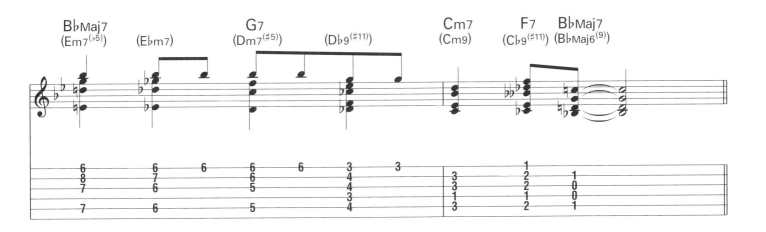

CDナレーション：指でプレイします。少し速くプレイしてみましょう。

39 フレーズ39

最後のExampleはキーGのブルースでのコード・ソロです。本書で使用したさまざまなテクニックが含まれていることがわかるで
しょう。これはフィンガースタイルでプレイすることをお勧めします。その方がメロディ、ハーモニー、ベース・ムーヴメント
をはっきり分けてプレイしやすくなります。

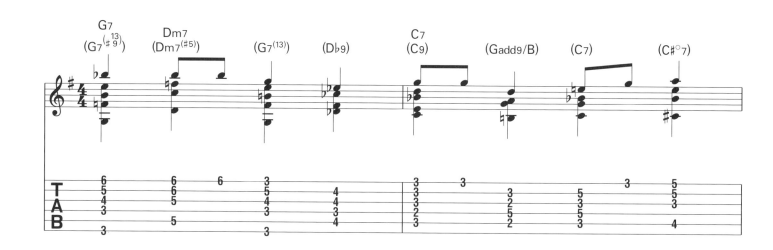

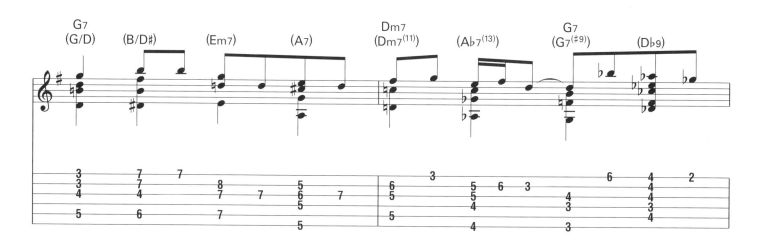

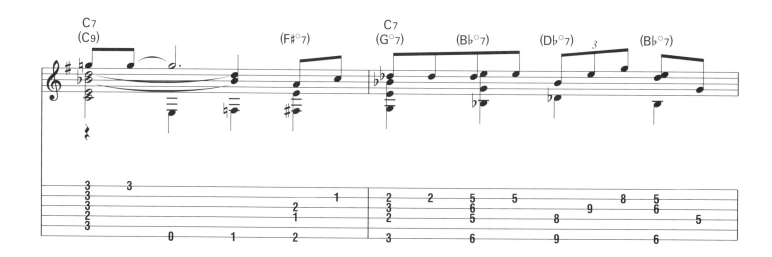

CDナレーション：指でプレイします。フレーズ38と39はとりわけスタイルが似ていることに気づくでしょう。私は右手の5本
の指すべてを使ってこれをプレイしています。私は、一人でメロディ、コード、ウォーキング・ベース・ライン
というリズム・セクション全体をプレイするこのスタイルがとても好きです。

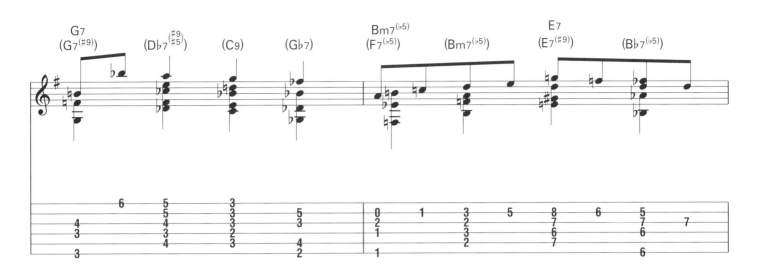

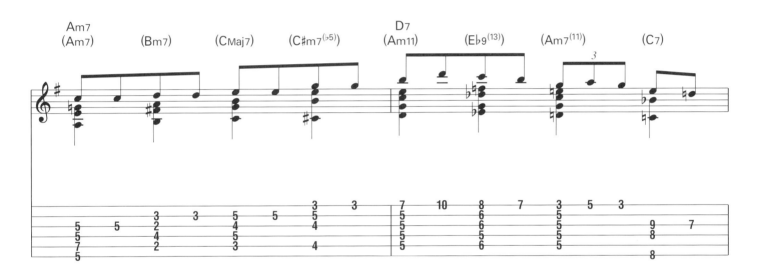

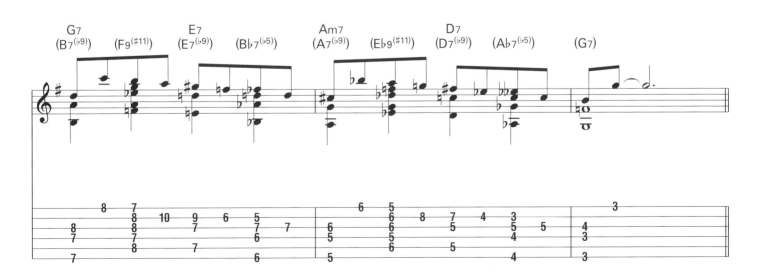

CDナレーション（続き）： 本書で私といっしょにプレイすることを楽しんでくれることを願っています。また，本書が理論的
にも技術的にもあなたにとって役立つことを願っています。また続編も執筆するつもりです。
では，そのときまで・・・。Good Luck!　Good Bye!

About the Author
著者について

Ron Eschete は1948年、8月19日、ルイジアナ州のホウマで生まれ、とりわけコード/メロディを得意とする世界クラスのギタリストになりました。彼のすばらしいサウンドは、*To Let You Know I Care* (Muse)、*Line Up* (Muse)、*Spirit's Samba* (JAS)、*"Big Mouth" Milt Jackson* (Pablo)、*The Clayton Bros., Johnny and Jeff Clayton* (Concord)、*Moon Bird*、*Time Out of Mind*、*On a Gentle Note Dave Pike* (Muse)など、さまざまなアルバムで聴くことができます。

また、彼は *Mort Lindsey Orchestra* とともに Merv Griffin ショー、*Buddy Greco* とともに Mike Douglas ショーにも出演しました。

そのキャリアを通して *Ron* は、*Buddy Greco*、*Milt Jackson*、*Ray Brown*、*Hampton Hawes*、*Warne Marsh*、*Peter Christlieb*、*Bob Brookmeyer*、*Richie Cole* といった巨匠たちと共演してきました。

Ron はそのキャリアにおいて基本的にパフォーマンスに重点をおいてきましたが、25年近くにわたりたくさんの大学で教鞭を執ってきました。その中にはノース・テキサス州立大学、ユタ州立大学、ロヨラ大学、ニューオリンズのルイジアナ州立大学、ロング・ビーチとフラートンのカリフォルニア州立大学、そしてハリウッドのミュージシャンズ・インスティテュート(M.I.)が含まれています。

彼は現在、*Ron Eschete Trio* でライヴおよびレコーディング活動を行っています。

circa 1982

Note from the Author
著者のことば

コードというテーマで書かれた本が無数にある中で、本書で取り上げたさまざまなコンセプトがあなたに新鮮かつ刺激的なコードの使い方を提供できることを心から願っています。たくさんの異なる音楽スタイルを聴き、基本的な音楽的手法を身につけることが大切です。それに加え、あなたの努力、想像力、常に実験する姿勢があれば、自分自身のスタイルを発展させることができるでしょう。

Ron Eschete

ギターの記譜法

ギターの記譜には、1. 5線譜、2. タブ譜、3. スラッシュ（∕）で表すリズム譜の3つの方法があります。

リズム譜
五線の上に記され、指定されたリズムで弾く。コードのヴォイシングは楽譜の最初、または最後のページにダイアグラムで表示される。また、リズム・パートにシングル・ノートを加えて弾く場合は、リズム記号の上に音名をフレットと弦の番号とともに表記することもある。

5線譜
音程と音価を表し、小節を小節線によって分割する。音程はアルファベットの最初の7文字（C、D、E、F、G、A、B）で読む。

タブ譜（TAB）
フィンガーボードを視覚的に表したもの。それぞれの音とコードは、該当する弦に記されたフレット番号で、押さえる位置を示している。

奏法上の記譜

半音ベンド
ピッキングの後、弦をベンドして半音（1フレット分）上げる。

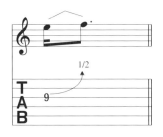

全音ベンド
ピッキングの後、弦をベンドして全音（2フレット分）上げる。

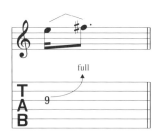

グレイス・ノート・ベンド
ピッキングの後、素早く指定された音まで弦をベンドする。

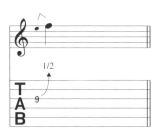

スライト・ベンド
ピッキングの後、弦をわずかにベンドして（1フレットの約半分）1/4音上げる。

ベンド＆リリース
ピッキングの後、指定された音までベンドし、ふたたび元の音程までベンドをゆるめる。ピッキングするのは最初の音だけ。

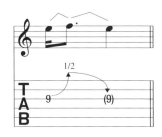

プリベンド
あらかじめ指定された音までベンドしておきピッキングする。

プリベンド＆リリース（リバース・ベンド）
指定された音までベンドしておいてからピッキングし、ベンドをゆるめて元の音程に戻す。

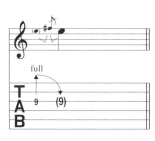

ユニゾン・ベンド
両方の音をピッキングし、素早く低い方の音を高い方の音と同じ音程になるまでベンドする。

ヴィブラート
押弦している指、手首、腕などを使ってベンド＆リリースを素早くくり返して、音を揺さぶる。

ワイド・ヴィブラート
通常のヴィブラートよりも、さらに大きく音を変化させる。

ハンマリング・オン
最初の音をピッキングした後、別の指で弦を叩くようにして高い方の音を出す。ピッキングするのは最初の音だけ。

プリング・オフ
最初の音をピッキングした後、別の指で下方向へ弦をひっかくようにして低い方の音を出す。ピッキングするのは最初の音だけ。

レガート・スライド
ピッキングした音から次の音まで、押さえた指を滑らせる。ピッキングするのは最初の音だけ。

シフト・スライド
レガート・スライドと同じ方法だが、2つめの音もピッキングする。

トリル
指定された音をハンマー・オンとプル・オフで、できるだけ速くくり返す。

タッピング
＋マークのついた音を右手の指で叩いて出し、フレットを押さえている音にプリング・オフする。

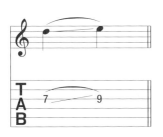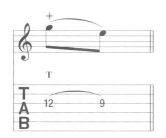

ナチュラル・ハーモニクス
タブ譜に指定された音のフレット上に指を軽くふれ、ピッキングする。

ピンチ・ハーモニクス
タブ譜に指定されたフレットを押さえ、ピックを持った手の親指の側面（または爪）または人差し指をピッキングと同時に弦にあてハーモニクスを得る。

ハープ・ハーモニクス
タブ譜の最初の音を押さえ、2番めのフレット番号の位置にピッキングする手の人差し指などで軽く触れ、さらに別の指を使ってピッキングしてハーモニクスを得る。アーティフィシャル・ハーモニクスとも呼ぶ。

ピック・スクラッチ
ピックの側面を弦にあてて、ネックを上行または下行してスクラッチ・サウンドを得る。

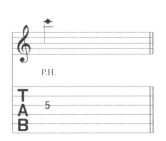

マッフル・ミュート
弦を押さえずに軽く触れ、指定された音域の弦をピッキングしてパーカッシヴなサウンドを得る。

パーム・ミュート
ピックを持った掌の腹をブリッジ付近の弦に軽く触れた状態でピッキングし、弱音効果を得る。

レイク
目標とする音の前に指定された弦を音程を付けずに素早くピッキングする。音程が指定されている場合もある。

トレモロ・ピッキング
音符の長さ分だけ素早くピッキングをくり返す。

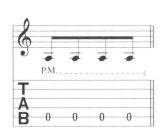

アルペジアート
指定されたコードを低い方から高い方へ弾きハープのように鳴らす。逆の場合もある。

トレモロ・バー／ダイヴ&リターン奏法
押さえた音またはコードをトレモロ・バーを使って指定されたピッチに音を変化させる。

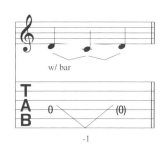

トレモロ・バー／スクープ奏法
トレモロ・バーをあらかじめ下げておいて、ピッキングと同時に素早くバーを戻す。

トレモロ・バー／ディップ奏法
ピッキングと同時にトレモロ・バーを使って指定された音程分を素早く下げすぐに戻す。

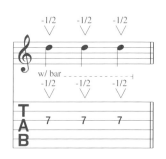

その他の記譜

アクセント
強く演奏する。

マルカート
さらに強く演奏する。

スタッカート
音を短く切って演奏する。

⊓
ダウン・ストローク

∨
アップ・ストローク

D.S. al Coda
ダル・セーニョ・アル・コーダ
5線の下部に記され、***D.S.***の部分からセーニョ・マーク（𝄋）のある小節まで戻り、コーダ・マーク（***to*** ⊕ または ***to Coda***）のついた小節からコーダ（⊕ または ***Coda***）へ進む。

D.C. al Fine
ダ・カーポ・アル・フィーネ
5線の下部に記され、曲のアタマに戻り***Fine***で終わる。

Rhy. Fig.
リズム・フィギュア
おもにコードで演奏する小さな単位の伴奏パターン。

Riff
リフ
おもに単音で演奏するくり返しのパターン。

Fill
フィル
メロディーやリズムの隙間に、短いフレーズを入れること。オカズとも呼ぶ。

Rhy. Fill
リズム・フィル
コード演奏によるフィル。

tacet
タチェット
「静かに」の意味で、演奏を休止することを指示する。

リピート・マーク
リピート・マークで囲まれた小節をくり返す。

リピート・マーク
1回めは、1カッコを演奏し、リピートの後の2回めは1番カッコを跳ばし2番カッコへ進む。

REH PROLESSONS & PROLICKS

ジャズ・コード・コネクション・フォー・ギター 《模範演奏CD／ダイアグラム付》
Jazz Chord Connection　*Dave Eastlee* 著・演奏

5つのポジションにまとめたコード・フォームと頻出コード・プログレッションへの適用

56のデモ・トラックが収録されたCD ・ 一般的なフィンガリングとヴォイス・リーディング ・ 一般的なジャズ・コード・プログレッション ・ トライトーン・サブスティテューション、ターンアラウンド、ディミニッシュの法則 ・ その他の重要なジャズ・コンピングのヒント

定価［本体2,200円＋税］

ジャズ・インプロヴィゼイション・フォー・ギター 《模範演奏CD／タブ譜付》
Jazz Improvisation for Guitar　*Les Wise* 著・演奏

オルタード・テンションを利用してビバップ・フレージングを生み出すプロセスをじっくり解説
かっこいいアドリブ・ソロのために必要なスケールや代理コードなどの知識とアイディアが満載

付属CDには、35の模範演奏トラックを収録 ・ テンションと解決 ・ メジャー・スケール、メロディック・マイナー・スケール、ハーモニック・マイナー・スケール ・ 一般的なリックとサブスティテューション・テクニック ・ オルタード・テンションを創る ・ 一般的な記譜とタブ譜

定価［本体2,400円＋税］

ジャズ／ロック・ソロ・フォー・ギター 《模範演奏＆プレイ・アロングCD／タブ譜付》
Jazz-Rock Solos for Guitar　*Norman Brown, Steve Freeman, Doug Perkins* 共著・演奏

大きく6つに分けたジャズ／ロック・スタイルのギター・ソロフレーズとその解説を
関心のあるチャプターから自由に学習

フル・バンドの模範演奏とリズムのみのトラックを収録したCD ・ *John Abercrombie、George Benson、Larry Carlton、Robben Ford、Pat Metheny、John Scofield、Mike Stern、Berney Kessel、Wes Montgomery* のギター・スタイルをフレーズごとに解説 ・ トライアドを使ってインプロヴァイズする方法、ブルース・フュージョン、静止したコードやヴァンプのためのライン、アトモスフェリック・ジャズ、ダブル・ストップを使ったインプロヴィゼイション他 ・ 一般的な記譜とタブ譜

定価［本体2,400円＋税］

コード／メロディ・フレーズ・フォー・ギター 《模範演奏CD／タブ譜付》
Chord-Melody Phrases for Guitar　*Ron Eschete* 著・演奏

Ron Eschete のすばらしいジャズ・フレーズでコード／メロディ・テクニックを広げる

39のデモ・トラックを収録したCD ・ コード・サブスティテューション（代理コード） ・ クロマティック・ムーヴメント ・ コントラリー・モーション（反進行） ・ ペダル・トーン ・ インナー・ヴォイス・ムーヴメント（内声の動き） ・ リハーモニゼイション・テクニック ・ 一般的な記譜とタブ譜

定価［本体2,400円＋税］

インターヴァリック・デザイン・フォー・ジャズ・ギター 《模範演奏CD／タブ譜付》
Intervallic Designs for Jazz Guitar　*Joe Diorio* 著・演奏

Joe Diorio が教えるさまざまなインターヴァリック・フレーズ

トーナリティを使用したデザイン ・ ダイアトニック・ハーモニーを使用したデザイン ・ ディミニッシュ・スケールを使用したデザイン ・ ドミナント・コードとオルタード・ドミナント・コードのためのデザイン ・ クロマティック・スケールを使用したデザイン ・ 慣例的なプログレッションのためのデザイン ・ さまざまなハーモニック・アプリケーションを使用したデザイン ・ 完全5度音程を使用したデザイン ・ フリースタイル・インプロヴィゼイションのためのデザイン

定価［本体2,400円＋税］

ジャズ・ソロ・フォー・ギター 《模範演奏CD／タブ譜付》
Jazz Solos for Guitar　*Les Wise* 著　*Les Wise* (guitar), *Craig Fisfer* (piano), *Joe Brencatto* (drums) 演奏

名ギタリストたちのスタイル、フレーズに基づき6種類のソロ・コンセプトを解説

フル・バンドのデモ演奏とリズムのみのトラックが収録されたCD ・ *Wes Montgomery、Johnny Smith、Jimmy Raney、Tal Farlow、Joe Pass、Herb Ellis、Jim Hall、Pat Martino、George Benson、Barney Kessel、Ed Bickert* のギター・スタイル ・ フレーズごとに演奏方法を解説 ・ アルペジオ・サブスティテューション、テンションと解決、ジャズ・ブルース、コード・ソロイング 他 ・ 一般的な記譜とタブ譜

定価［本体3,300円＋税］

ブルース・ソロ・フォー・ギター 《模範演奏＆プレイ・アロングCD／タブ譜付》
Blues Solos for Guitar　*Keith Wyatt* 著　*Keith Wyatt* (guitar), *Tim Emmons* (bass), *Jack Dukes* (drums) 演奏

基礎テクニックから始め、ブギ・シャッフル、テキサス・スウィングなどのブルース・ソロをポイント別に解説

フル・バンドのデモ演奏とリズムのみのトラックが収録されたCD ・ *Albert King、Albert Collins、B.B. King、Jimi Hendrix、Eric Clapton、Stevie Ray Vaughan、Steve Cropper、Freddie King、Lonnie Mack、T-Bone Walker、Gatemouth Brown、Wayne Bennett、Pee Wee Crayton、Chuck Berry、Scotty Moore、Carl Perkins、Brian Setzer* のギター・スタイル ・ フレーズごとに演奏方法を解説 ・ ベンディング、ヴィブラート、トーン、ノート・セレクション（音の選択）、その他のヒント 他 ・ 一般的な記譜とタブ譜

定価［本体3,300円＋税］

あなたのニーズと目的に合わせてチョイスできる　ギター・プライヴェート・レッスン・シリーズ

本シリーズは、*Jon Finn*、*Vic Juris*、*Steve Masakowski*、*Sid Jacobs*、*Mimi Fox*、*Ron Eschete*、*Barry Greene*、*Bruce Saunders*、*Mark Boling*、そしてジャズ・ラインの探求シリーズでおなじみ *Corey Christiansen* など、最高のプレイヤーやエデュケーターによって書かれた本と CD のセットです。

定価[本体 2,500 円＋税]

豊かなハーモニーを生み出す
ジャズ・イントロ＆エンディング　《模範演奏 CD／ダイアグラム付》
JAZZ INTROS AND ENDINGS　*Ron Eschete* 著・演奏

さまざまなキーやスタイルの楽曲におけるイントロとエンディングを 60 例紹介

ジャズ・イントロ＆エンディングは、さまざまなキーやスタイルの楽曲におけるイントロとエンディングを 60 例紹介しています。著者 *Ron Eschete* は *Ray Brown*、*Gene Harris, Ella Fitzgerald* をはじめとするビッグネームと共演するなど有名で、称賛されているギタリストです。ここでの豊かなハーモニーによるフレーズは、あなた自身のイントロやエンディングを生み出すうえで多くのすばらしいアイディアと理解をもたらすでしょう。譜面では 5 線譜に加えられたコード・ダイアグラムが学習の助けとなります。

定価[本体 2,500 円＋税]

ジャズ・コードとラインを活かすガイド・トーン
ザ・チェンジ　《模範演奏 CD／タブ譜付》
THE CHANGES: GUIDE TONES FOR JAZZ CHORDS, LINES & COMPING　*Sid Jacobs* 著・演奏

コード・チェンジの核であるガイド・トーンを視覚化し、
ソロ、コンピング、コード・メロディのヴォイシングに役立てる

ザ・チェンジ は、フレットボード上でガイド・トーンを視覚化（頭の中で、指の細かな動きまで、具体的に思い浮かべること）するノウハウを提供するもので、ビギナーから上級者まで利用できる効果的なアプローチです。視覚化されたシェイプを元に、ソロでのラインや、コンピングやコード・メロディのためのヴォイシングを創りだすことができます。

ガイド・トーンはプレイを容易にするだけでなく、コード・プログレッションを心地よく耳に伝え、バロックからビバップ、さらにその先の音楽に至るまで、ミュージシャンたちがインプロヴィゼイションにおいてコード・チェンジを行う際にずっと用いてきた手法です。

定価[本体 2,500 円＋税]

センスある伴奏テクニックを学ぶ
コンピング・コンセプト　《模範演奏 CD／タブ譜付》
CREATIVE COMPING CONCEPTS FOR JAZZ GUITAR　*Mark Boling* 著・演奏

コンピングにおけるヴォイシングの解説と譜例

コンピング・コンセプト は、6 つのコード・プログレッションにおけるコンピング・ヴォキャブラリーを発展させることによって、この状況を改善することを目指します。本書で使われるコード・プログレッションのモデルは、ブルース、リズム・チェンジ、マイナー・ブルース、モーダル・チューン、そしていくつかのスタンダードといった、ジャズ・イディオムにおいてもっともよく使われるものです。焦点は、リズム、フレージング、コード・ヴォイシング、ヴォイス・リーディング、コード・サブスティテューション、そしてリハーモナイゼーションに対するコンテンポラリーなアプローチを発展させることにあてています。本書で紹介するコンピング・コンセプト、リズム、そしてフレーズは、たくさんのさまざまな音楽的状況において適用されます。

定価[本体 2,500 円＋税]

一歩進んだインプロヴァイジング・コンセプト
ジャズ・ペンタトニック　《模範演奏 CD／タブ譜付》
JAZZ PENTATONICS / ADVANCED IMPROVISING CONCEPTS FOR GUITAR　*Bruce Saunders* 著・演奏

さまざまなハーモニーの状況における特定のペンタトニック・スケールの使い方を提示

本書ジャズ・ペンタトニックでは、典型的なギター学習者特有の要求に対応しながら、より活発なハーモニーの動きにおけるペンタトニック・スケールとその使用方法にアプローチすることを試みます。したがって、まずいくつかの基本的なインフォメーションを紹介してから、さまざまなハーモニーの状況における特定のペンタトニック・スケールの使い方を提示します。ギターをピアノ、サクソフォン、またはトランペットと同じ土俵に上げ、ペンタトニック・スケールとコード・チェンジの関係を研究することが、本書の中心的なテーマです。

定価[本体 2,500 円＋税]

一歩進んだインプロヴィゼイションのためのアイディア
上級ジャズ・ギター・インプロヴィゼイション　《模範演奏 CD付》
ADVANCED JAZZ GUITAR IMPROVISATION　*Barry Greene* 著・演奏

上級者向けインプロヴィゼイションのアイディア

本書はコード・スケールとジャズ理論に関する、相応の知識を持っていることを前提に、中級から上級レベルのジャズ・ギタリストに向けて書かれています。テーマとして、モーダルな演奏、コード・サブスティテューション、ディミニッシュおよびメロディック・マイナー・スケール、そしてペンタトニック・スケールを取り上げます。

PRIVATE LESSONS

ブルース／ロック・インプロヴィゼイション　　《模範演奏CD／タブ譜付》
BLUES/ROCK IMPROV　*Jon Finn* 著・演奏

ブルース／ロックのバッキング、ターン・アラウンド、ソロ・パートのリックとアイディアを解説

定価［本体2,500円＋税］

本書ブルース／ロック・インプロヴィゼイションでは、ブルース／ロックのソロ演奏に関する基本を紹介します。具体的には、基本的なリズム・ギター・パート、基本的なブルース・プログレッション、ターンアラウンド、ソロ・エクササイズ、そしてソロの演奏例を学びます。付属CDに収録されている曲は、重要なテクニックと考えられるものを強調するように工夫されています。

ロック／フュージョン・インプロヴァイジング　　《模範演奏CD／タブ譜付》
ROCK/FUSION IMPROVISING　*Carl Filipiak* 著・演奏

ロック／フュージョンに必要なコードヴォイシング、スケール、ソロのアイディアを学ぶ

定価［本体2,500円＋税］

本書では、フュージョン特有の多くのコンセプトを取り上げ、解説します。これらのアイディアを自分の演奏に取り入れれば、プレイ・アロング CD に収録されている曲のみならず、その他のフュージョンやジャズの曲を演奏する上でも役に立つでしょう。

本書は、*Miles Davis*、*Mahavishunu Orchestrs*、*Weather Report*、*Tribal Teck*、*Mike Stern*、*Jeff Beck* など、ロックの要素を取り入れたスタイルを中心に書かれています。ロックやブルースの基礎に慣れていれば、ほとんどの譜例に適応できるはずです。ジャズに精通した人であれば、なおさら簡単に理解することができるでしょう。

ギターのための一歩進んだジャズ・ハーモニー
コルトレーン・チェンジ　　《模範演奏CD／タブ譜付》
COLTRANE CHANGES / APPLICATIONS OF ADVANCED JAZZ HARMONY FOR GUITAR

Corey Christiansen 著・演奏

ハード・バップを進化させた独特のコード進行"コルトレーン・チェンジ"を基礎から分析、解説

定価［本体2,500円＋税］

偉大なジャズ・インプロヴァイザー、ジョン・コルトレーンは1960年に発表したアルバム Giant Steps によって、その後のリハーモナイゼーションの世界に大きな影響を与えました。本書では、難解とされるコルトレーン・チェンジ（コルトレーンのリハーモナイゼーション）を基礎から分析、解説し、スタンダードやブルースのコンピングやソロに応用する方法を学びます。現在では、このコルトレーン・チェンジもジャズ・インプロヴィゼイションの基本的な手法になっています。これを機に、この難題にチャレンジしてみましょう。

ギターのための高度なブルース・リハーモナイゼーションとメロディック・アイディア
モダン・ブルース　　《模範演奏CD／タブ譜付》
MODERN BLUES / ADVANCED BLUES REHARMONIZATIONS & MELODIC IDEAS FOR GUITAR

Bruce Saunders 著・演奏

ジャズ／ブルースでのさまざまなアイディアを紹介

定価［本体2,500円＋税］

本書は、ブルース演奏におけるメロディックおよびハーモニックなヴォキャブラリーを発展させたい中級から上級のプレイヤーに最適です。ここではジャズで演奏されることが多い、リハーモナイズされた12小節のブルースを取り上げ、チャーリー・パーカー、ジョン・コルトレーン、ジョー・ヘンダーソンなど、偉大なプレイヤーの手法を分析しています。付属のCDには模範演奏だけでなく、ドラムス、アコースティック・ベース、ギターによる生演奏が収録。リズム・セクションと一緒に練習することができます。

ギターのための一歩進んだハーモニー
モダン・コード　　《模範演奏CD／タブ譜付》
MODERN CHORDS / ADVANCED HARMONY FOR GUITAR　*Vic Juris* 著・演奏

作曲に繋げるモダンなコードの数々を紹介、解説

定価［本体2,500円＋税］

練習、応用、作曲は、実用的なコード・ヴォキャブラリーを発展させるための鍵となる3つの要素です。そして、それこそが、本書のテーマです。新しいコードを発見することは、この上ない喜びです。しかし、そのコードをヴォキャブラリーに加えることは、また別の話です。新しい単語を学んだら、それを毎日の会話で使わなければ、すぐに忘れてしまうでしょう。すなわち、それが練習であり、応用です。さらに、その新しい単語を使って記事やEメールを書くとしましょう。それが、ここで意味する作曲なのです。

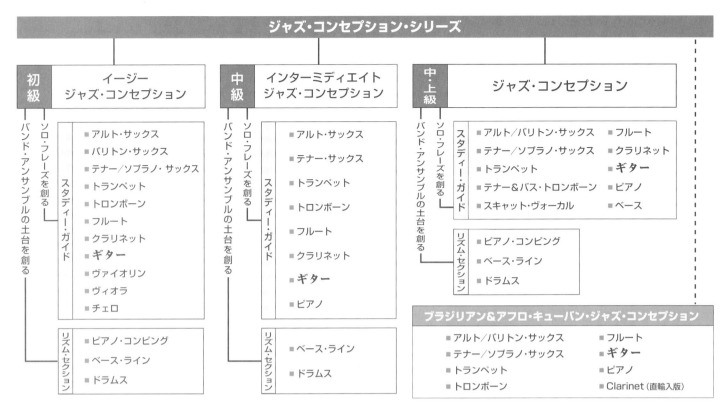

ジャズ・コンセプション・シリーズ

初級 イージー・ジャズ・コンセプション

バンド・アンサンブルの土台を創る | ソロ・フレーズを創る

スタディー・ガイド
- ■アルト・サックス
- ■バリトン・サックス
- ■テナー/ソプラノ・サックス
- ■トランペット
- ■トロンボーン
- ■フルート
- ■クラリネット
- ■**ギター**
- ■ヴァイオリン
- ■ヴィオラ
- ■チェロ

リズム・セクション
- ■ピアノ・コンピング
- ■ベース・ライン
- ■ドラムス

中級 インターミディエイト・ジャズ・コンセプション

バンド・アンサンブルの土台を創る | ソロ・フレーズを創る

スタディー・ガイド
- ■アルト・サックス
- ■テナー・サックス
- ■トランペット
- ■トロンボーン
- ■フルート
- ■クラリネット
- ■**ギター**
- ■ピアノ

リズム・セクション
- ■ベース・ライン
- ■ドラムス

中・上級 ジャズ・コンセプション

バンド・アンサンブルの土台を創る | ソロ・フレーズを創る

スタディー・ガイド
- ■アルト/バリトン・サックス
- ■テナー/ソプラノ・サックス
- ■トランペット
- ■テナー&バス・トロンボーン
- ■スキャット・ヴォーカル
- ■フルート
- ■クラリネット
- ■**ギター**
- ■ピアノ
- ■ベース

リズム・セクション
- ■ピアノ・コンピング
- ■ベース・ライン
- ■ドラムス

ブラジリアン&アフロ・キューバン・ジャズ・コンセプション
- ■アルト/バリトン・サックス
- ■テナー/ソプラノ・サックス
- ■トランペット
- ■トロンボーン
- ■フルート
- ■**ギター**
- ■ピアノ
- ■Clarinet（直輸入版）

「ジャズを演奏したことがないけれど興味がある」「今よりもっとジャズらしいプレイができるようになりたい」と感じているアマチュア・ミュージシャンが、付属CDの模範演奏に合わせて楽しく練習できる人気のシリーズ。有名なジャズ・チューンのコード進行を基にしたエチュードをとおして、ジャズ・スタイルとインプロヴィゼイション(即興演奏)の基本を学ぶことを目的としています。

本シリーズは、テンポの速さや音数の多さに合わせてグレード別になっています。3つのグレードはそれぞれ楽器別になっており、いずれの楽器バージョンも著名な一流ミュージシャンによる模範演奏を収録したCDが付属します。さらにリズム・セクションにも、ニューヨークを拠点として世界中で活躍しているミュージシャンを起用しています。超一流プレイヤーとのセッションは、単なる練習を超えたエキサイティングな疑似バンド体験となるでしょう。また、楽譜を見て模範演奏を真似するだけでなく、楽譜を見ずにCDを聴くだけでトランスクライブ(耳コピ)する練習をすれば、イヤー・トレーニングのテキストとしても活躍します。

soloist Joe Cohn

定価［本体3,000円＋税］

イージー・ジャズ・コンセプション・スタディー・ガイド
ギター
《模範演奏&プレイ・アロング CD付》

Jim Snidero 著

「楽器もジャズもイチからやりたい」入門～初心者レベルにおすすめ

シリーズ中で最もやさしいレベルで、ほとんどの曲は8分音符を中心に創られています。エチュードの難易度が高くない反面、ジャズ特有のグルーヴや演奏上のアーティキュレーションで表現することが重要となります。模範演奏とプレイ・アロング（マイナス・ワン）トラックが別々に収録されたCDが付属しています。CDをディテールまでよく聴きこんで、タイム・フィール、ダイナミクス、表情や音色まで真似することが上達への近道です。

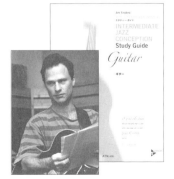

soloist Joe Cohn

定価［本体3,300円＋税］

インターミディエイト・ジャズ・コンセプション・スタディー・ガイド
ギター
《模範演奏&プレイ・アロング CD付》

Jim Snidero 著

「楽器は弾けるのに ソロがなかなかジャズらしくならない」悩みを解決

スタンダード、モーダル・チューン、ブルースなどをベースにした15のエチュードを掲載。巻末には、スタイルとインプロヴィゼイションに焦点をあてたAppendix、スケールの概要、インプロヴィゼイションの学習に役立つ95ものラインとアイディアが紹介されています。模範演奏とプレイ・アロング（マイナス・ワン）トラックが別々に収録されたCDが付属しています。

ジャズ・コンセプション・スタディー・ガイド　ギター

Jim Snidero 著　　　　　　　　　　　　　　《模範演奏／プレイ・アロング CD 付》

「ジャズの王道的なプレイ・アロング教材が欲しい」というプレイヤーに

ジャズ・コンセプションには、スタンダードやブルースに基づいた幅広いレベルのソロ・エチュードが21曲掲載されています。

なお、3シリーズ中「ジャズ・コンセプション」のみマイナス・ワン・トラックが収録されておりません。ステレオ収録されている模範演奏の片方のチャンネルを絞ると、ソロの演奏を抑え、マイナス・ワンとして聴くことができます。

soloist *Joe Cohn*

定価［本体 3,800 円＋税］

リズム・フィギュアを読むジャズ・エチュード
リーディング・キー・ジャズ・リズム　ギター

Fred Lipsius 著　　　　　　　　　　　　　《模範演奏＆プレイ・アロング CD 付》

ジャズのフレーズ特有のリズミック・フィギュアを
さまざまなコード進行の上でプレイする

ジャズでは、メロディ・ラインの中でよく使われるジャズらしいリズミック・フィギュア(メロディ・ノートのリズム的な配置パターン)というものがあります。本書はそこに焦点を当て、さまざまなハーモニーの上で各種のリズミック・フィギュアを使っていきます。

エチュードは全24曲で、初級から中級者レベルまで対応します。各エチュードは、特定のリズムまたはリズミック・フィギュアを、ジャズ・ミュージシャンの日常語となっているジャズ・チューン(スタンダード、メジャー/マイナー・ブルース、リズム・チェンジなど)のハーモニー上で演奏するものとなっています。また、メロディを簡略化したガイド・トーン・バージョンも掲載しており、独学だけでなくデュエットで演奏することも可能です。

guitar – *Jack Pezanelli*

定価［本体 3,000 円＋税］

耳を使ってジャズの基本をプレイする
ブルース・エチュード　ギター　　　《模範演奏＆プレイ・アロング CD 付》

Fred Lipsius 著

さまざまなスタイルのブルース上で　ブルースならではのフレージングを練習する

12曲のジャズ・エチュードとCDをセットにした全8巻の楽器別シリーズです。すべてのエチュードはブルース・プログレッションに基づいており、各楽器に最適な音域で創られています。比較的簡単なキー、さまざまなリズム・スタイル、ゆったりしたミディアム以下のテンポで、幅広い層のプレイヤーが楽しく演奏できるようになっています。中級レベルのプレイヤーには初見での譜読み練習にも最適な内容で、ジャズ・ソロイングとはどのようなものかを学ぶために最適なツールとなっています。本書に掲載されているフレーズやフレージングをマスターすれば、それらはブルース以外のジャズ・フォームにおいても音楽的ヴォキャブラリーとして役立ちます。これからジャズ・フレージングやインプロヴィゼイションを学ぼうとするすべてのプレイヤーにおすすめの1冊です。

guitar – *Jack Pezanelli*

定価［本体 2,800 円＋税］

ブラジリアン＆アフロ・キューバン・ジャズ・コンセプション
ギター　　　　　　　　　　　　　《模範演奏＆プレイ・アロング CD 付》

Fernando Brandão 著

幅広いラテン・ジャズ・スタイルを
本物のラテン・リズム・セクションによるプレイ・アロング CD を使って練習する

ブラジリアンやアフロ・キューバンのさまざまなスタイルに基づく15曲のオリジナル曲から構成されたプレイ・アロング教材です。ブラジリアン＆アフロ・キューバン・ミュージックのさまざまなスタイルやリズムについての解説や、各曲ごとの詳しい分析と補助的なエクササイズも提示されており、本物のラテン・ジャズ・スタイルを学びたいプレイヤーにとっては最適な入門書です。

付属CDには、現代のブラジリアン・ミュージック界でも屈指のリズム・セクションとソロイストの演奏を収録しています。本シリーズは、曲のリード・シートに対応できる読譜力と楽器演奏スキルを習得しているプレイヤーが対象となります。

guitar – *Zé Paulo Becker*

定価［本体 3,300 円＋税］

シングル・ラインの演奏を極める

ジャズ・ギター　ライン＆フレーズ　《模範演奏CD／タブ譜付》

Complete Book of Jazz Guita Lines & Phrases

Sid Jacobs 著

模倣から始めるインプロヴィゼイションのアイディア、即戦力となるライン＆フレーズ

実際の演奏ですぐに使うことができる便利なライン＆フレーズ集である本書により、"ジャズ言語"のボキャブラリーを身につけ、表現の幅を広げることができます。Ⅱ-Ⅴ、Ⅴ-Ⅰ、Ⅱ-Ⅴ-Ⅰでのフレーズを数多く紹介、その短いフレーズを組み合わせソロを構築していくスタイルを解説。付属CDには、1つのセクションをノンストップで演奏した模範演奏が収録されており、耳から本格的なジャズ・ギターのニュアンスを学べ、そして各セクションのフレーズはどれもカッコよく、真似して弾くだけで大満足。ギターの奏法については解説されていませんが、ある程度の演奏ができる初心者から上級者まで幅広く使うことができます。

定価［本体 4,300 円＋税］

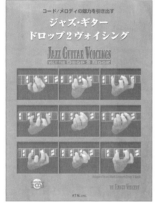

コード／メロディの魅力を引き出す

ジャズ・ギター・ドロップ2ヴォイシング

Jazz Guitar Voicings vol.1: The Drop 2 Book　《模範演奏＆プレイ・アロング2CD付》

Randy Vincent 著

ギターの4声ヴォイシングに焦点を絞ったユニークな1冊。
ドロップ2を使いハーモニーに広がりを!

メロディにコード（和音）を施すヴォイシングの中でも、すべての構成音がオクターヴ以内に収まり、各音ができるだけ狭い間隔で並んだものをクローズ・ヴォイシングと呼びます。本書は、そのクローズ・ヴォイシングの上から2番めの音を1オクターヴ下げたドロップ2ヴォイシングに焦点を当てて学ぶ、ギタリストのための教則本です。通常クローズ・ヴォイシングはサウンドが濁りがちですが、ドロップ2ヴォイシングを使うことでハーモニーに広がりが生まれます。またフィンガーボード上で隣接する4本の弦を使っての演奏が容易になります。それぞれのスケールやコードに沿った使い方や、演奏の中での取り入れ方など、細かい譜例とともにわかりやすく解説をしています。

定価［本体 4,200 円＋税］

ATN, inc.

コード／メロディ・フレーズ
フォー・ギター

発　行　日　2003年　1月20日（初版）
　　　　　　2012年10月20日（第2版1刷）
著　　　者　Ron Eschete
翻　　　訳　石川 政実
監　　　修　石井 貴之
発行・発売　株式会社 エー・ティー・エヌ
　　　　　　© 2003、2012 by ATN,inc.
住　　　所　〒161-0033
　　　　　　東京都新宿区下落合 3-12-21 目白エミネンス 102
　　　　　　TEL 03-6908-3692 / FAX 03-6908-3694
ホームページ　http://www.atn-inc.jp

3619

ISBN978-4-7549-3619-8